등장인물

티아나   나빈   샬롯

스텔라   루이스

디즈니 골든 명작 플러스
공주와 개구리: 티아나의 특별한 친구

펴낸이 권오현 | **펴낸곳** 블루앤트리㈜ | **편집** 김인숙, 임주영, 전소희, 장기선
디자인 유선주, 남정임, 김보경 | **제작** 문진규, 현철우 | **영업 마케팅** 전은정, 강미경
출판등록 2009년 11월 30일 제2009-000337호
주소 서울시 구로구 디지털로33길 12, 902호(구로동, 우림이비지센터 2차)
고객센터 1577-4851 **홈페이지** www.bluentree.com

이 책의 저작권은 블루앤트리㈜에 있습니다.
저작권법에 따라 보호를 받는 저작물이므로 무단 전재와 복제를 금합니다.
잘못된 책은 구매하신 곳에서 바꾸어 드립니다.

사진 제공 ⓒ Shutterstock.com

* 일러두기: 이 책의 외국어 한글 표기는 외래어표기법에 따르는 것을 원칙으로 하였으나,
  일부 어휘의 경우 디즈니 애니메이션을 따라 예외로 하였음을 알려 드립니다.

© 2016 Disney Enterprises, Inc. All rights reserved.

제품명: 디즈니 골든 명작 플러스
제조사명: 블루앤트리㈜
주소: 서울시 구로구 디지털로33길 12, 902호
(구로동, 우림이비지센터2차)
전화번호: 1577-4851
제조국명: 대한민국
사용연령: 3세 이상

⚠ 양장책의 모서리가 날카로워 다칠 수 있으니
책을 던지거나 떨어뜨리지 않도록 3세 미만의
어린이는 보호자의 관리가 필요합니다.

공주와 개구리

티아나의 특별한 친구

BLUE N TREE
블루앤트리 (주)

뉴올리언스의 평화로운 오후였어요.
"샬롯! 오늘은 티아나의 식당에 가서
친구들과 함께 저녁을 먹으면 어떨까?"
신문을 읽던 샬롯의 아빠가 말했어요.
"너무 좋죠! 금방 옷 갈아입고 나올게요."

7

잠시 후, 샬롯은 아빠와 함께 차를 타고
식당으로 출발했어요.
뒷좌석에서 스텔라가 자고 있을 거라고는
생각지도 못했지요.

차가 식당 앞에 멈춰 서자 스텔라는
맛있는 도넛 냄새에 번쩍 눈을 떴어요.
설탕 가루를 듬뿍 뿌린, 푹신한 도넛을 무척 좋아했거든요.
스텔라는 냄새를 따라 식당 뒤쪽에 있는 주방으로 갔어요.

"아저씨! 샬롯! 어서 오세요!"
티아나는 친구들을 반갑게 맞이했어요.
식당에는 이미 티아나의 엄마와
나빈 왕자의 부모가 와 있었어요.
"멋진 저녁 시간이 되겠구나!"

11

한편, 스텔라가 찾아간 주방은
온통 좋은 냄새로 가득했어요.
"여기 좀 봐요. 손님이 찾아왔어요!"

"귀한 손님에게 어떤 음식이 어울릴까?"
주방을 둘러보던 요리사는
방금 만든 해물 스튜를 가져왔어요.
"이것 좀 먹어 보렴.
새로운 조리법으로 만든 거야."

스텔라는 주방 사람들의 귀여움을 받으며
행복한 시간을 보냈어요.
샬롯과 아빠는 이런 사실은 꿈에도 모른 채
악어 루이스의 연주를 들으며 즐거운 식사를 했지요.

마지막 연주가 끝나자 모두들 자리에서 일어났어요.
"오늘 연주는 정말 멋졌어."
"이번 스튜는 색다르던데?"
"다음에 또 보자꾸나."
모두가 기분 좋은 작별 인사를 건넸어요.
그때까지도 스텔라가 어디에 있는지 아무도 몰랐지요.

15

"아, 배고프다. 우리도 맛있는 것 좀 줘."
루이스가 연주자들과 함께 주방으로 들어왔어요.
그러자 스텔라가 루이스를 향해 마구 짖어 대기 시작했어요.
"으르렁! 멍멍, 멍멍멍!"
스텔라는 커다란 악어가 무서웠던 거예요.
"괜찮아, 작은 강아지야. 너를 먹으러 온 게 아니야."

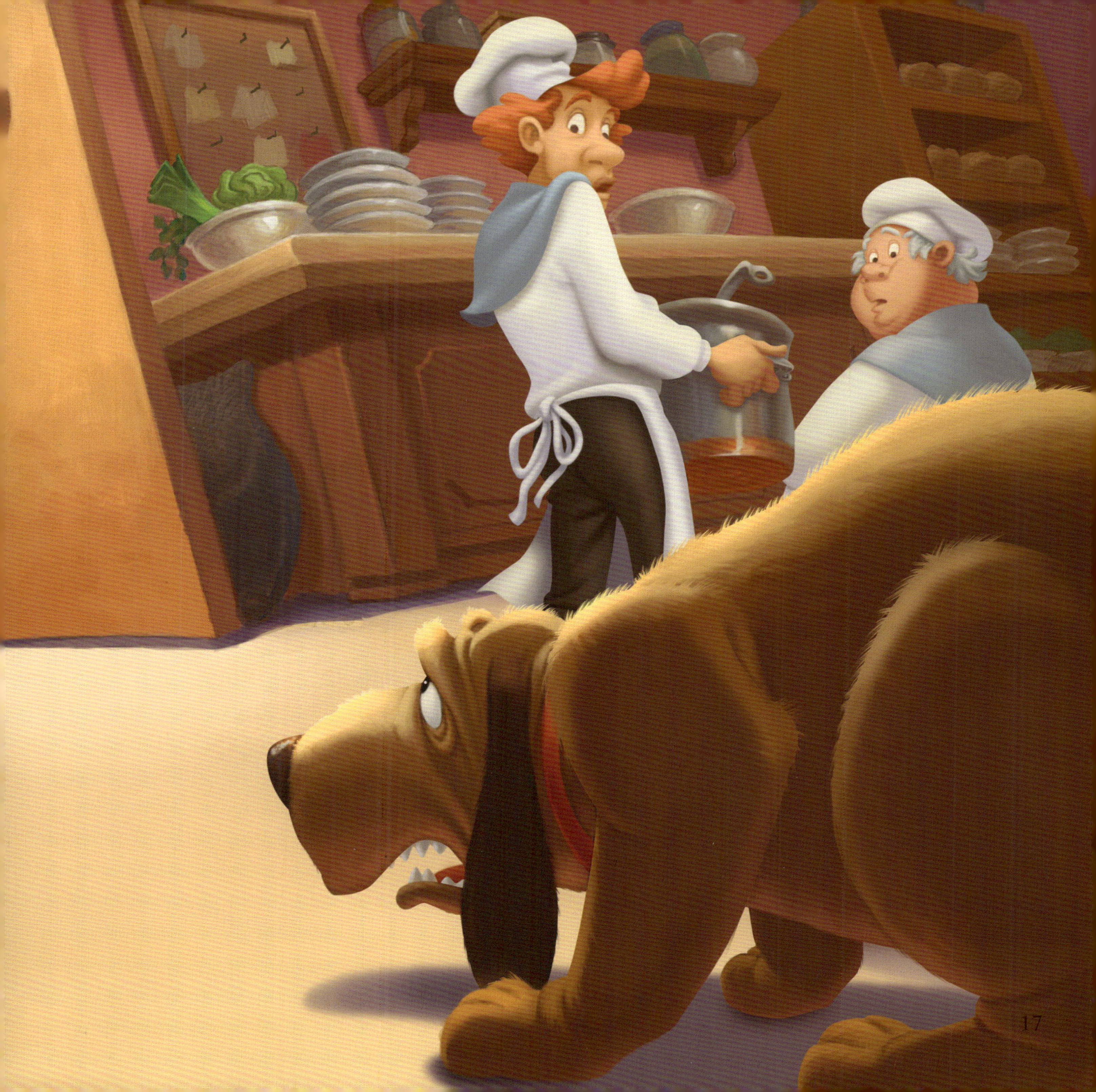

루이스의 말에 스텔라의 목소리가 더 커졌어요.
"멍멍! 멍멍멍!"
겁이 난 요리사들은 멀찌감치 물러서서
개가 악어를 향해 으르렁거리는 모습을 보았어요.

"이게 무슨 소리지?"
손님들을 배웅하고 오던
티아나와 나빈은
소란스러운 소리에
주방으로 뛰어갔어요.

주방에서는 겁에 질린 스텔라가
루이스를 향해 짖어 대고 있었어요.
"무슨 일이야? 스텔라, 네가 어떻게…"
티아나는 금세 어떤 상황인지 알아챘어요.

21

"이런, 스텔라. 괜찮아."
티아나는 스텔라를 안고
부드럽게 쓰다듬어 주었어요.
"루이스는 아무도 해치지 않아."

"맞아. 루이스는 커다란 덩치만큼 마음도 아주 넓단다.
게다가 얼마나 귀엽다고!"
나빈이 루이스의 양 볼을 잡아 올렸어요.
루이스의 얼굴은 커다랗고 귀여운 악어 인형처럼 보였어요.

24

"스텔라, 아무 걱정 말고 루이스에게 가 봐."
티아나의 말에 스텔라는 루이스를 향해 조금씩 다가갔어요.
그런데 갑자기 스텔라가 고개를 홱 돌렸어요.
조리대 위에 놓인 먹음직스러운 닭 다리를 향해 말이에요.
"뭐야!"
티아나와 나빈은 웃음을 터뜨렸어요.
루이스도 웃고 싶었지만 이를 꽉 물고 참았어요.
스텔라가 또다시 놀라면 안 되니까요.

손님들이 모두 간 뒤, 맛있는 음식이 차려졌어요.
나빈은 멋진 음악을 연주했고,
흥에 겨운 직원들은 서로 손을 잡고 춤을 추었지요.
스텔라는 티아나가 특별히 만들어 준 도넛을 먹었어요.
티아나의 얼굴에 미소가 가득했어요.

27

티아나와 나빈은 스텔라를 집으로 데려다 주었어요.
"스텔라, 오늘 와 줘서 고마워."
티아나가 스텔라를 꼭 안아 주었어요.
"멍멍!"
스텔라는 사랑스러운 대답을 남기고 집으로 들어갔어요.
오늘은 아마 스텔라에게 잊지 못할 날이 될 거예요.

생각이 자라요

즐거운 일이 있으면
다른 사람들과 함께 나눠.
즐거움은 나눌 때 더 커진단다.

즐거움을 함께 나눠.

사람들이 한데 어울려 맛있는 음식을 먹고, 즐거운 시간을 보내고 있어.
내가 그 자리에 있다면 어떤 기분이 들지 상상해 봐.

- 내 연주에 다른 사람들이 즐거워하니까 내가 더 기분 좋아.
- 하루의 피로가 다 풀리는 것 같아.
- 혼자 있을 때는 느끼지 못한 기분이야. 마음이 풍요로워져.

아하, 그렇구나

미국은 어떤 나라야?

티아나의 식당이 있는 곳은 미국 루이지애나 주에 있는 뉴올리언스야.
미국은 어떤 나라인지 좀 더 알아볼까?

아메리카 대륙에 있어

미국은 아메리카 대륙의 캐나다와 멕시코 사이에 있어.
정식 이름은 아메리카합중국(United States of America)이야.

국기에 있는 50개의 별은 연방을 이루는 50개 주를 가리키고, 13개의 줄은 미국을 처음 세울 때 있었던 13개 주를 나타내.

신대륙으로 건너왔어

아메리카 대륙에는 원래 인디언이라고 부르는 원주민들이 살고 있었어. 그런데 콜럼버스가 이곳을 발견한 뒤 유럽 사람들이 와서 살기 시작하면서 원주민들을 내쫓고 자신들의 땅으로 만들었지.

미국 매사추세츠 주에 있는 플리머스에는 영국에서 건너온 사람들이 이루었던 마을을 그대로 꾸며 놓았어.

저곳에서 우리는 부자가 될 거야!

우리 땅을 빼앗지는 않겠지?

여러 인종이 모여 살아

미국에는 세계 어느 나라보다 다양한 인종이 살고 있어. 원주민을 비롯해 아프리카, 남아메리카, 아시아, 유럽 등에서 온 사람들이 다양한 문화를 이루며 살고 있지.

우리는 모두 미국 사람이야.

힙합은 뉴욕의 가난한 동네에 살던 흑인과 스페인계 청소년들에 의해 만들어진 춤과 음악이야. 이것이 '힙합 스타일'이라는 독특한 문화가 되었어.

재즈는 유명한 미국 음악이야

오래전 아프리카에서 흑인들이 미국에 노예로 끌려왔어. 흑인들은 백인들을 위해 매일 힘들게 일해야 했지. 그래서 노래를 부르며 힘든 삶을 달랬는데, 이 노래가 블루스가 됐어. 그리고 재즈로 발전한 거야.

세계의 음식을 맛볼 수 있어

미국은 여러 나라에서 온 사람들로 이루어진 만큼 다양한 음식들이 있어. 그 가운데 가장 미국적인 음식은 햄버거야. 미국 사람들은 햄버거나 핫도그처럼 언제 어디서나 간편하게 먹을 수 있는 패스트푸드를 즐겨 먹어.

나도 해볼래요

미국을 여행해 볼까?

미국은 땅덩어리가 러시아와 캐나다에 이어 세계에서 세 번째로 큰 나라야. 또, 세계에서 영향력이 가장 큰 나라이기도 하지. 미국을 대표하는 것들을 찾아 스티커를 붙여 줘.

사우스다코타

캘리포니아

애리조나

텍사스

할리우드
미국 영화 산업의 중심지로 미국뿐 아니라 세계 영화 산업을 이끌고 있어.

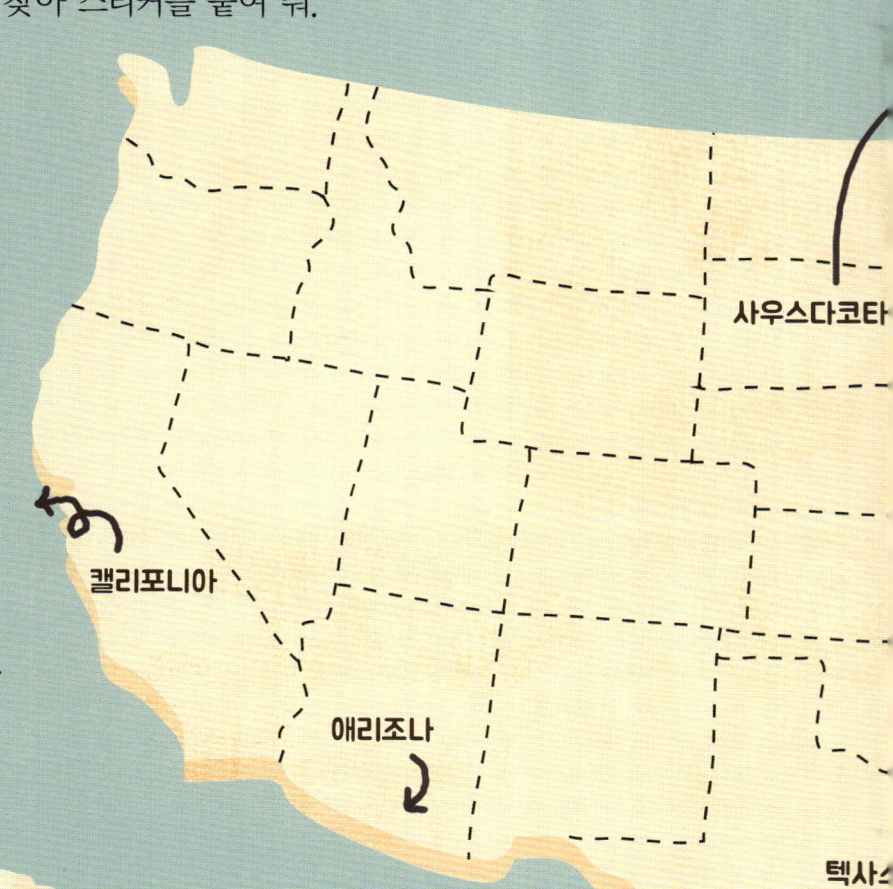

그랜드 캐니언
지구의 역사를 보여 주는 곳이야.
1500미터나 되는 깊은 협곡들로 이루어져 있어.

러시모어 산 국립기념지
러시모어 산에 있는 국립공원이야. 미국 대통령 네 명의 거대한 얼굴이 조각되어 있어.

자유의 여신상
뉴욕 항의 리버티 섬에 세워진 거대한 여신상으로 원래 이름은 '세계를 밝히는 자유'야. 미국의 독립 100주년을 기념해 프랑스가 보내 준 선물이야.

뉴욕

워싱턴 D.C.

백악관
미국 대통령이 살고 있는 곳이야. 벽이 온통 하얀색이어서 하얀집(White House)이라고 부르게 됐어.

존슨 우주 센터
미국 항공 우주국(NASA)에서 운영하는 우주 센터로 미국의 모든 우주 계획을 담당하고 있어.